Le Printemps

Collection
La couleur des jours

Couverture du livre (recto)
Chant d'espérance
Huile sur toile 51 cm x 61 cm

Couverture du livre (verso)
Nouveau règne
Huile sur toile 51 cm x 61 cm

Photographie des peintures :
Michel Filion Photographe

Séparation de couleurs :
Scan Express inc.

Photocomposition et mise en page :
Michel Phaneuf Designer inc.

Tous droits réservés
Les éditions au fil du temps

Dépôt légal — 4e trimestre 1995
Bibliothèque Nationale du Québec
ISBN 2-922005-00-3

Le Printemps

Textes de Gilles Vigneault

Vingt-six tableaux de

Les éditions
au fil du temps

Avant-propos
par
Aurélien Boivin

Que l'on soit jeune ou vieux, riche ou pauvre, citadin ou campagnard, peintre ou poète, le printemps n'a pas le même sens et n'offre ni les mêmes couleurs ni les mêmes odeurs. Pour les uns, il marque la fin du trop long hiver et se veut le signe du renouveau. Pour les autres, il annonce la venue du trop court été dans un pays où «la neige au vent se marie». Pour les humains comme pour les bêtes, c'est la saison du recommencement, du retour aux sources qui redonne la vie aux êtres et aux choses qu'elle semblait avoir désertés. La sève remonte dans l'arbre figé par le froid qui, bientôt, rebourgeonne. C'est alors «le temps des sucres» et des érables qui font chanter les vaisseaux, là où les arbres ne sont pas enchaînés au bagne de la rentabilité. Puis c'est la parade d'amour des oiseaux, qui reviennent des cieux plus cléments et qui reconstruisent un nid, que l'hiver a détruit sans remords, pour assurer la survie de l'espèce, ce qu'un autre poète a appelé la suite du monde. Outardes et oies blanches regagnent le Nord mythique qu'elles avaient déserté, «en se passant l'une l'autre/ la pointe du triangle». À la ville, les hommes sifflent en brisant la glace accumulée sur le balcon ou sur le trottoir, en face de leur demeure qui reprend vie. Ils rêvent déjà au parterre fleuri qui embellit les jours. Les femmes, elles, redeviennent fières et se parent de couleurs attrayantes en promenant leurs nouveau-nés apparus avec la saison de tous les espoirs, tandis que Rose-Anna prépare le nouveau déménagement. À la campagne, agriculteurs, horticulteurs et jardiniers caressent la terre avant de l'ensemencer. C'est presque toujours le printemps qui invente les projets des amoureux et des créateurs qui rêvent tous, chacun à sa manière, de transformer le monde.

Voilà ce que le poète-chansonnier Gilles Vigneault a chanté, depuis une quarantaine d'années, sur les plus grandes scènes du monde et ce que le peintre Fernand Labelle a traduit dans ses tableaux. C'est d'abord le peintre-paysagiste des saisons qui a eu l'idée d'associer, dans un livre d'art, les couleurs de sa palette aux mots et aux images d'un poète. Il s'en est ouvert à quelques amis qui l'ont mis en contact avec le poète de Natashquan. Ce dernier a accepté avec enthousiasme de réunir, dans la collection bellement intitulée «La couleur des jours», ses plus beaux textes, dont quelques inédits, se rapportant à l'une ou l'autre des saisons que le peintre a immortalisées à sa façon dans les tableaux qui les accompagnent.

Le printemps est le premier volume de la collection qui a déjà donné lieu à d'intéressantes ren-contres entre le poète et le peintre. Suivront trois autres volumes consacrés, selon le rythme des saisons, à l'été, à l'automne et à l'hiver.

*B*allade

Après Monsieur François Villon
Après Ronsard après Verlaine
Je veux labourer mon sillon
Sur la page encore toute pleine
Des neiges où vous n'étiez pas
Pour reconnaître sur la plaine
Bruit de mes mots bruit de vos pas
Et ma chanson de porcelaine

Nous venons tard mais nous prions
Les dieux de nous prêter haleine
Pour qu'on entende le grillon
Jusques au palais où la reine
File un bonheur de prince à roi
À défaut de filer la laine
Qu'elle entende un peu de nos voix
Et ma chanson de porcelaine

La fleur qui dort sous le pignon
Pendant que la gouttière égrène
Son cristal dans le bataillon
Lointain des clochers des sirènes
Mes saisons sont d'une semaine
Aussi j'ai ces printemps exprès
Que l'été vienne tout après
Et ma chanson de porcelaine

Envoi

À vous qu'on appelait Hélène
Héloïse Elvire et Manon
Cette ballade à votre nom
Et ma chanson de porcelaine

Dégel

Me voici revenu dans la rondeur des jours
Le soleil entaille la terre
De gouterelles grosses comme des fleuves
Puis la grisaille refait le monde
À son ennui
Le temps distribue ses faveurs
Ici une heure et là un siècle
Il faut que je reparle des étoiles
Aux enfants
Elles répondent à leurs questions sauvages
Poussière dans l'œil de la nuit
C'est l'heure de dormir...
Non, c'est trop tôt
Oui, c'est trop tard
Les outardes très haut
Tout en haut de l'arcade
Parlent d'amour
En se passant l'une l'autre
La pointe du triangle
Ça me rappelle que l'an passé
Elles sont passées plus tard
La neige sans projets n'était qu'une apparence
Un visage de l'eau chargé de mots trop lourds
Conte-moi tes enfances
Dans la rondeur des jours

Le traîneau

On n'en voyait encore qu'un patin qui dépassait
du banc de neige au bas de la butte... mais
c'était bien là le traîneau de Pierre-Yves.
Et Jean-Guy, le papa de Pierre-Yves, fut
le seul à le voir.

– J'ai hâte que les enfants apprennent à serrer
leurs bebelles. On est à la veille de commencer à
racler le terrain et il reste un traîneau et
peut-être une paire de raquettes, des mitaines et
je ne sais quoi encore à traîner sous la neige...

– Papa, t'as trouvé mon traîneau?

– Ah! Au moins tu savais qu'il était perdu...

– Oui... c'est après la grosse tempête... maman
m'a appelé parce que Katia m'invitait à aller faire
du ski à Val-Morin... et quand je suis revenu...
plus de traîneau... Il en avait tombé épais comme
ça... Puis j'ai... oublié...

Cela mit fin à la conversation, ce matin-là.
Il était en retard pour l'école.

Jean-Guy laissa la neige fondre jusqu'au
jour où Pierre-Yves fut capable de déneiger le
traîneau tout seul. Et l'objet fut remisé avec les
skis et les raquettes entre une sorte de petite
mélancolie du dedans et les cris des carrouges et
des grives qui venaient d'arriver.

L'orgue

Cet instrument
Naît, a lieu et prend place
Sur un lac assez grand
Juste avant les jours où la glace
Se fait débâcle
Et dérive de fond
Percée par le ciseau subtil
Du dernier vent de mars
Un matin,
Voici que mille bouches
Se mettront à chanter.
On les prendra pour une volée d'outardes
Non. C'est trop tôt.
De l'air en cage
Entre la glace et l'eau
Sortira du gosier de l'hiver qui s'attarde
Et cela dit des chants d'été...
Vous y verrez
Algues, poissons, bateaux, voilures,
Mêlés aux mots de la froidure
Avertissement:
L'orgue ne joue qu'une fois l'an.
Emmener les enfants.

Printemps

Pour beaucoup, c'est l'hirondelle
Qui rapporte d'un coup d'aile
La clef du printemps perdu
On dit que c'est partant d'elle
Que le froid se démantèle
Et que l'hiver est fondu

Mais pour moi, Madame,
Printemps vient de vous
L'oiseau de votre âme
A la clef de tout.
La neige et la flamme
Vous chantent partout
Et moi, je proclame:
Printemps vient de vous !

On a dit de la corneille
Que c'est elle qui réveille
Les eaux, les champs et les bois
Et d'après plus d'un grand-père
Elle est le point de repère
Le printemps suivrait sa loi

Mais pour moi, Madame,
Printemps vient de vous
L'oiseau de votre âme
A la clef de tout.
La neige et la flamme
Vous chantent partout
Et moi, je proclame:
Printemps vient de vous !

La marmotte avec son ombre
Est le guide d'un grand nombre
Pour quarante jours encor
Et je connais des proverbes
Qui feraient pousser de l'herbe
Sous les glaces du Grand Nord

Mais pour moi, Madame ...

*L*e jardinier

Sous la pluie fraîche
De mai.
Les semailles.
Mais qui donc
Cette année
A commencé
Le jardin,
Tout fin seul ?

Un oignon.

Quand les jardins

Quand les jardins
Sont semés
On ne se sent plus seul
Responsable de tout.
La terre
Reprend son tour de garde

Primevère

Du jardin au lac
Du lac à l'étang
Les grenouilles
Téléphonent
Quenouillant de quenouilles
Bécassant de bécasses
Canards et pluviers
Reviendront, dit-on.
Mais c'est à croire
Que nul ne répond
Et tard dans la nuit
Les sonneries sonnent
Comme à l'infini...

Le guetteur

Non. Carrouge.
Je ne viens pas
Détruire ton nid.
C'est pour voir
Simplement
Quatre mêmes
Et pareils

Tes œufs.

 es bois de marée

Il y a plus de cinquante ans, à Natashquan,
le loisir le plus luxueux d'un écolier d'alors,
c'était, je crois, d'aller sur la plage. Le matin.
Non pas pour y bronzer ou s'y baigner le petit
orteil (l'aventure eût été hasardeuse à la fin mai,
l'hiver ne désarmant jamais vraiment avant la
mi-juin). Mais pour y chercher des... trésors.
J'ai beau penser à d'autres mots, c'est «trésors»
qui me vient. Et qui dit le mieux la vérité de nos
trouvailles dans nos têtes de dix ans.

Quels trésors ? direz-vous. Oh ! Ni or
ni argent ! Fer parfois. Nacre souvent. Bois
toujours.

Mais il fallait se lever tôt. La concurrence
était féroce. Ceux qui habitaient le plus près de
la grève étaient inéquitablement avantagés.
Aussi fallait-il pour les uns prendre au temps
ce que l'espace accordait injustement aux
autres: le privilège du premier rendu. Car
les trouvailles n'étaient pas qu'imaginaires.

On disait: «Aller aux bois de marée». Mais c'était là utiliser de façon fort empirique une expression de touriste pour décrire un incroyable mélange de beaux coquillages, de bidons vides, de contenants de tous genres, de belles planches, de madriers de poutres et... de bois de marée pour vrai quand la mer leur avait donné par vent de noroît et marées d'automnes les formes fantasques d'un oiseau, d'un poisson ou même... forme humaine. Mais c'était l'aspect agrément de loin moins excitant que l'aspect utilitaire. Un madrier d'un pied de large sur deux pouces d'épaisseur par douze pieds de long représentait une trouvaille d'autant plus grande que parfois papa en personne venait pour emporter la pièce et donner une justification à nos absences matinales inégalement appréciées à l'heure du déjeuner. «Mais veux-tu m'dire où il est passé ? Parti sans déjeuner ! Et il va être en retard pour l'école !» Et ma mère répondait invariablement: «Il ventait hier soir ? Bien, c'est simple, il est sur le bord de la côte !»

– Le bord de la côte ! C'est pas là qu'il va apprendre à lire... Le bord de la côte !

Et j'arrivais sur ces mots: «J'ai rencontré mon oncle Arthur. Il m'a dit que j'avais de la bonne planche. C'est après le filet à monsieur Edgar. J'en ai remonté sept. Je les ai cachées dans le foin.»

– Bon ! Mange. Puis dépêche à l'école. J'irai voir ça. Arthur me dira où si je les trouve pas !

Je m'en allais à l'école avec l'allure et la démarche d'un explorateur. Je faisais de l'utile. Et j'apprenais à lire le sable, le vent, la mer.

Mon oncle Arthur savait lire tout ça, lui, et il était sur la plage avant nous tous les matins.

Un matin d'automne, l'ayant croisé alors qu'il s'approchait d'un énorme madrier que je ne sais quelle goélette chargée pour l'Angleterre avait dû perdre au large, il me dit avant que je ne le réclame: «C'est à toi. Avec tes petits yeux tout neufs tu l'as certainement vu avant moi. J'ai de la misère à te reconnaître à vingt pas. J'te reconnais parce que tu chantes tout l'temps. C'est à toi c'morceau-là. Et je te félicite. C'est un beau morceau, ton père va être content. Puis moi, ça me serait pas utile autant qu'à lui.» Et en m'aidant à remonter la pièce trop lourde pour mes dix ans: «Vois-tu, Gilles, ce n'est pas ce qu'on trouve qui est important, mais la façon dont on s'en sert.»

Natashquan, le vingt-neuf février 1992
Jour du centième anniversaire de ma mère

Un visiteur discret

Le soleil de ce matin de fin d'avril
A sorti sa corneille
La pleine lune de la nuit tombée tôt
Sortira ses grenouilles
Et ses amoureux
La corneille croasse tout le jour
Et se croit la seule à le savoir
Les amoureux se promènent jusqu'au frisson
Se jurant que personne n'en saura rien
Et le printemps est là
Il est entré sur les quatre heures et quart
Entre peau et chair
Entre chien et loup

Futur intérieur

Silencieux, vivants,
Sous la rougeur des prés
Quelques invertébrés
Attendront que le vent
Un beau matin se lève
Et recommenceront
L'histoire de la sève
Et celle des enfants
Qui s'en vont à la pêche
Avec leurs hameçons...

La cage

S'il est encor le temps,
Être
La flèche d'ailes
Des outardes
Être plus bas
Carrouge
L'aile en feu
Tourterelle et mélancolie
Aussi
Certaines fins d'après-midi,
Grive... certains matins sans ombre...
Être
Modestement, farouchement
Moineau
Vantard, criard, pillard.
Envahissant contemporain
D'hirondelle
Occupée
De plus fins rituels
Et chargée
De rigoureux travaux

Chaque arbre est une cage
Natale et bien-aimée
À toute âme habitée d'habitude
De lire en soi-même
Profond.

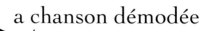

La chanson démodée

J'ai trouvé ma mie en haute montagne
La lune était ronde le hibou muet
En haute montagne, je l'y ai laissée
À la nuit tombante j'irai la trouver

Ma mie a les pieds comme biche vive
Sa peau est plus blanche qu'aubier de sapin
Si je l'emmenais courir par la plaine
Comme biche vive s'en irait bien loin

La maison que j'ai n'a pas de toiture
De porte non plus de fenêtre point
J'entre par le haut comme en cheminée
Rentre la fumée quand le temps est doux

À qui j'ai loué, c'est à la chouette
Qui radote un peu mais qui veille à tout
Ma mie est logée, ma mie est à l'aise
Demandez au lièvre, demandez au loup

Ma mie a fleuri dedans une souche
Coupée en hiver, vidée au printemps
Une fois saison, la lune s'y couche
Ce qui donne à l'œil couleur du beau temps

Le Pont

Quand le soleil amorça l'allongement des ombres, Piquot s'arrêta net, et, s'asseyant sur un gros bouleau mort émergeant de la neige profonde, admit qu'il était perdu.

Il lui restait sa pomme et trois biscuits gardés pour l'en-cas du retour.

Et puis on ne meurt pas de soif en forêt, surtout dans une saison où toute l'eau du monde a neigé sur les choses en posant un tapis sous les pas des humains et un toit sur le monde des mulots.

Ses pas de cinq ans ne pouvaient pas l'avoir mené plus loin que la Rivière-au-Chien dont son père disait souvent: «À pas mille pas d'ici...» Mais il avait tourné en rond et il était fatigué, et l'air avait des fraîcheurs soudaines qui laissaient penser gel pour la nuit. «Et puis ils vont bien me chercher.» Un angelus au loin le rassura soudain, puis laissa le silence qui suivit plus vaste et plus désert.

La nuit vint sans prévenir. En mars, même si les jours reprennent du terrain sur les calendriers, quand il a fait grisaille depuis le matin, la nuit ne se désiste pas de la journée et, vers six heures, elle n'a plus qu'un petit coup d'épaule à donner pour basculer le jour dans le passé.

Debout sur la pointe de son bouleau mort, il força ses yeux à forer dans le gris fer des alentours des tunnels anxieux. Il ne vit pas la lueur tout de suite. Il était déjà occupé à scruter

l'opposé quand ses yeux clos de fatigue pour quelques secondes s'en souvinrent. Il la retrouva après une lutte féroce avec la forêt qui d'une feuille de hêtre, d'une branche, peut cacher toutes les lampes du monde.

Il partit si vite vers cette fragile balise qu'il en oublia sa pomme et ses biscuits aux mulots attentifs.

Il arriva essouflé. À un endroit où la forêt s'arrêtait devant une espèce de grande clairière blanche, au-delà de laquelle un camp de bois rond avait l'air vivant comme un traîneau. Mais devant lui une grande tache d'eau noire disait qu'il était bien devant la Rivière-au-Chien et que la traverser était une autre histoire. Il se mit à crier.

– Aie !

Un vieil homme sortit vivement et lui répondit aussitôt.

– Attends. Le courant est trop fort ici. Et la glace est pourrie. Il faut aller prendre le pont.

Et ils marchèrent tous les deux, chacun de son côté de la rivière. Jusqu'à un rétrécissement par-dessus lequel un chêne énorme s'était abattu, formant un pont fort praticable.

39

– Tu es chez mon oncle Tobie. Comment t'appelles-tu ?
– Piquot. Je me suis perdu. Est-ce que c'est loin chez nous ?
– Non. Et je connais ton père. Je l'ai souvent entendu bûcher de l'autre côté. Viens te chauffer, puis on avisera.
– On quoi... ?
– On avisera. On verra quoi faire.

On avisa. Et l'on devisa. Piquot, remis de cette mésaventure, bavarda volontiers et répondit à toutes les questions, en posa quelques-unes. Apprit que mon oncle Tobie vivait seul, et ne put savoir de son âge que ceci: «Les Iroquois pensent que j'ai huit cents lunes, et moi je dis souvent: Au moins et quelques-unes». Piquot ne se fit pas prier pour dire:
– Moi, j'ai six ans cet été.
On calcula tout cela à l'indienne façon.
– J'aurai bientôt, Piquot, autant d'années que toi de lunes...
Puis... l'heure passa.

– «Ta mère va s'inquiéter. Je vais aller te reconduire.» Il faisait nuit et froid. On repassa sur le pont du chêne mort.
– Aimes-tu mon pont, Piquot ?
– Ou...i.
– Pas l'air sûr... ?
– Bien c'est que... ça n'est pas un vrai pont.
– C'est un arbre tombé. Faudrait couper les branches, faire tomber encore un arbre... et puis...
– Je ne suis pas de ton avis, Piquot. Quand celui-ci suffit à passer la rivière, je ne vois pas pourquoi on irait couper un arbre pour rien. Surtout de cet âge-là. Le vent nous a construit un pont, il faut l'en remercier.

Le printemps s'occupera du reste.

Piquot écoutait. En silence. Et marchait à côté. Et commençait déjà d'apprendre mille choses. Et d'apprendre surtout comme c'est rassurant de marcher la nuit avec un ami sûr. On fut bientôt à la maison.

– Tu peux remercier monsieur Tobie.
– C'est mon oncle Tobie, dit Piquot, établissant par là une parenté nouvelle que d'un commun accord chacun prit pour acquise.
– Tu peux le remercier. Il a de la patience.

Le papa de Piquot se retenait de le gronder, mais on voyait par le ton ce qu'il pensait de l'escapade. Sa maman qui était d'une grande douceur revenait sur son inquiétude:
– En hiver, Mon Piquot. Tu pouvais te perdre. Quand on y pense... Je trouvais qu'il était tard pour sortir... Restez donc à souper... monsieur Tobie.

L'oncle Tobie résista. Il faut comprendre ici la tentation d'une pareille invitation pour un homme habitué à se faire la cuisine...
– Ce sera pour une autre fois, madame, merci beaucoup. Quand on se connaîtra mieux, Piquot et moi.

Mais Piquot, lui, trouvait que les présentations étaient plus que faites. Et il n'avait pas tort.

On promit de se revoir. Puis l'oncle Tobie repartit vers sa maison d'ermite, mais il n'était plus seul. Les questions de Piquot dansaient dans sa tête, plus nettes que les traces qu'il avait laissées sur la neige et que le pas plus vif d'un vieil homme rajeuni de cent lunes refaisait à l'envers.

Vint le temps des sucres et de la tire sur la neige, et la terre bientôt ressembla à une grande peau de vache blanche avec des plaques brunes, puis, bientôt, une vache brune avec ici et là une tache de neige que le soleil le plus haut et le vent le plus vivant allaient boire dans la nuit.

Et la Rivière-au-Chien qui charriait les radeaux de l'hiver cassé dans un avril chantant de hâte et de projets.

Piquot savait par cœur le chemin qui mène chez «Mon oncle», et si un jour passait sans qu'il y vint, l'oncle Tobie était d'humeur maussade jusqu'au soir.

Le lendemain, c'était:

– Qu'est-ce que tu faisais hier ? Je croyais que tu viendrais...

– Hier ? Oh... hier, je me suis fait un radeau.

– Quoi ? un radeau. Pourquoi ?

– Mais pour flotter, mon oncle, tiens !

– Un radeau. Il s'est fait un radeau.

L'oncle avait peine à croire qu'on puisse faire démarrer un projet d'une pareille envergure sans lui.

– Il est où, ton... radeau ?

– Dans le Petit-Haut de la rivière où papa coupe du bois. Je suis allé en couper avec lui.

– Ah! ça c'est bien. Puis comme ça on va te voir passer... sur ton radeau.

– Demain. Je descends.

– En as-tu parlé à ton père ?

– Oui. Il m'a un peu aidé. Mais seulement pour attacher les morceaux que j'avais choisis.

Voilà l'oncle rassuré. Mais qui se promet bien d'être là et de veiller au grain.

En se plaçant de l'autre côté de la rivière, Tobie aurait vue sur toute l'aventure, depuis l'embarquement jusqu'à l'accostage dans l'anse, à deux pas de la maison. Le papa de Piquot n'en savait pas moins, et serait là, surveillant la rive.

Il n'y avait rien là de risqué. Vraiment. Cependant, l'oncle Tobie éprouva comme l'ombre d'une inquiétude lorsque Piquot monta et que le radeau, qui pouvait bien porter dix Piquot, s'engagea entre les deux cailloux et piqua. Oh! à peine ! dans le courant glacé. Piquot s'y tenait bien, mais bientôt l'appareil prit de la vitesse et quand il passa devant la petite crique, on ne sut rien faire qui puisse le retenir. Piquot criait: «Mon oncle, attrape-moi ! Ça va trop vite !» Papa n'était pas loin, mais comptait sur Tobie qui s'en allait vivement vers le pont du vieux chêne et se hâtait vraiment cette fois. Anxieux. Même en sachant qu'il ne pouvait pas le dépasser... que la rivière ne creuse nulle part avant le Rapide des Cinq Pas... même si...

Le radeau se redressa, arrêté par les branches du chêne jamais émondé encore, et renversa complètement sous la force du courant. Il attrapa Piquot trempé par un bras et en riant (de soulagement aussi...) le hissa sur le pont qu'une tempête d'automne avait construit pour ce jour-là.

On en parla beaucoup. Un petit peu moins peut-être à la maman de Piquot, pour que papa et l'oncle Tobie ne soient pas trop grondés.

À quelques jours de là, quand l'histoire fut toute sèche, Piquot vint voir son oncle et, entre son verre de lait et la tasse de thé de quatre heures, il dit soudain, comme pour lui-même, comme celui qui parle ayant bien réfléchi:
— Mon oncle, pour les branches de votre pont, j'y ai pensé, j'ai eu de la chance hein! que personne ne les ait coupées.

 **Paysage**

La lune a posé sur la plaine
L'argent d'un verglas sans pareil
À rappeler la porcelaine
D'une mer où dort le soleil.

Ah! Que la neige était plus belle
Aux saisons dont je cherche encor
La mystérieuse escabelle
Qui manque au cœur de ce décor

Pour que le jeu se recommence
Avec le splendide attirail
Du pays à la neige immense
Où la fenêtre était vitrail.

Ah! Que la neige était plus blanche
Et plus mélancolique aussi
Sa calme et paisible avalanche
D'un ciel au jour mal obscurci...

La lune a posé sur ma peine
L'éclat de son calme glacé.
Mon enfance ne fut pas vaine.
Voici déjà demain passé...

47

Au printemps

Au printemps de mon pays
Dont ma tête est le manège
Tournent pluie et vent et neige
Et plus rien ne m'obéit

Du ruisseau et de l'étang
Des chemins ont pris la place
Aux chemins faits de ma trace
Nul n'y passe que le vent

Reconnaître la maison
Reconnaître table et chaise
Retrouver sous la mortaise
La place de mes leçons

Le plancher sèche toujours
Au soleil de ma mémoire
Et que dorment dans l'armoire
Les nappes des anciens jours

Mais au bout du chemin vieux
Trouver la porte fermée
J'aime mieux ma Bien-Aimée
N'avoir plus ni feu ni lieu

Sur tout ce que j'ai trahi
J'ai perdu mes privilèges
Je ne suis plus du cortège
Au printemps de ce pays

Je ne suis plus du cortège
Au printemps de mon pays

15 mai

Monsieur Georges et moi
avons semé le petit jardin
de l'est. Quelques rangs de
laitues, de petits légumes, de
radis et des herbes bien sûr.
Il fait beau comme en pleine
saison.

Alison a transplanté les cent
plants de framboisiers dans
le jardin de l'Étang. C'est
l'année prochaine que les
framboises viendront belles.

labelle

Les écoliers du mois de mai

Les écoliers du mois de mai
S'en vont tout seuls et tous ensemble
Les pas battus, les dos courbés
Tous différents qui se ressemblent
Mais c'est tout seuls. Que vous en semble ?
On croit qu'ils s'en vont à l'école
Mais regardez comme ils s'envolent
On dirait la volée d'outardes
C'est une volée d'écoliers...
D'ailleurs on trouve leurs souliers
Tout le long du chemin qui passe
Pour un vrai chemin d'écolier.
On trouve aussi de leurs cahiers
Et quelques devoirs mal finis
Une grammaire. Un encrier
Et des plumiers cherchant leurs plumes
Et leurs crayons éparpillés.
Vous croyez qu'ils sont à l'école !
Entendez-vous comme ils rigolent ?
Là-haut dans l'air familier
Aux goélands et aux outardes...
Mais le professeur les attend
Le professeur n'est pas content...
Il a horreur du mois de mai.

Rentrez-moi cette aile. À vos places !
Qu'avez-vous fait de vos cahiers ?

Je l'ai perdu... J'ai oublié...

Tête d'oiseau ! Et vos souliers ?
Un de perdu dans la rigole
Et l'autre... dans un peuplier ?
Exactement dit l'écolier.
Comment avez-vous deviné ?

L'exilé

Un enfant des bois qui regarde aujourd'hui la ville n'y voit qu'une forêt de ciment, aux troncs carrés avec des yeux carrés posés partout et, pour celui dont la forêt a façonné l'enfance, la ville traverse les saisons sans les voir, comme un paquebot géant traverserait un brouillard aux couleurs de l'ennui.

À vrai dire, le citadin observera volontiers les façons du ciel, la forme des nuages et les cent manières qu'a la lune de prédire l'humeur du temps, mais il est tant occupé par la mouvance horizontale de ses pareils que, la plupart du temps, seuls la chaleur ou le froid lui importent à court terme. En ville, la pluie est un ennui, le vent, un importun et la neige, un chemin boueux.

À moins que notre citadin n'ait en lui un enfant des bois et par là un point de fuite vers la forêt ... là où se joue en vrai la pièce des saisons. Car, pour la forêt, ce sont les saisons qui la traversent. Pour y laisser des marques non seulement reconnaissables mais souvent spectaculaires. Parce que la forêt fourmille de vies ostensibles ou secrètes et sous des formes si versatiles que le mot infini vient aux lèvres.

Il n'est pas étonnant d'y retrouver le peintre échappé de la ville et de l'y voir se livrer aux caprices de la couleur des jours. Et livrer ses couleurs à lui. Les couleurs de son Âme. Et laisser les saisons l'habiter comme elles font du paysage. Parce que, dans ces osmoses, le jour est sans horloges, et le temps, sans collier.

Liste
des
tableaux

Liste
des
textes

Quatre saisons vues par un peintre et un poète

La couleur des jours

Fernand Labelle
Gilles Vigneault

Le printemps

Quand les jardins
Sont semés
On ne se sent plus seul
Responsable de tout.
La terre
Reprend son tour de garde

L'été

Chaque journée était
Un panier de soleil
Qui fuyait à la voile
Sur le lac des vacances

L'automne

Odeur des feux de feuilles
Revenez-nous
Le vent qui vous recueille
Sera très doux

L'hiver

Dans la blanche cérémonie
Où la neige au vent se marie
Dans ce pays de poudrerie
Mon père a fait bâtir maison

Ce livre,
composé en Cochin corps 15
et en Bellevue corps 14 et 60,
a été achevé d'imprimer à Montréal
en l'an mil neuf cent quatre-vingt-quinze
sur les presses des ateliers Métropole Litho
pour le compte de
Les éditions au fil du temps.

Le tirage de la présente édition
a été limité à sept mille cinq cents exemplaires
dont cent cinquante exemplaires numérotés.